Ewa Nowak

Szarka

zilustrowała
Anna Wielbut

EDUKACYJNY
EGMONT

UWAGA!
Słowa zaznaczone gwiazdką *
zostały wyjaśnione w słowniczku
na końcu książki.

ROZDZIAŁ 1

Gabrysia miała już dość tych przechwałek. Zuzia będzie lecieć samolotem do Egiptu. Kasia wybiera się w Alpy. Ania pojedzie z tatą do Zakopanego na narty. I tylko Gabrysia ma spędzić ferie u dziadków na wsi. A na wsi jest nudno. Dziadek czasem zabierał ją do lasu, ale co ciekawego może być w lesie? Same drzewa. Nuda.

Kiedy po ostatniej lekcji zadzwonił dzwonek, wszyscy z okrzykiem radości rzucili się do drzwi. Jedynie Gabrysia szła wolno do szatni.

Mama za kierownicą podśpiewywała, a ona mazała palcem po szybie i marudziła. Chciała, żeby te ferie jak najszybciej minęły.

ROZDZIAŁ 2

– Nareszcie! – Dziadek i babcia wyciągnęli do Gabrysi ramiona. – Aleź się stęskniliśmy!

Do tego to całe przytulanie i wysłuchiwanie, jaka to jest duża.

„Myśleli, że się skurczę czy jak?".

Gabrysia była zła na cały świat. Chciała pooglądać telewizję, ale mama uparła się, żeby poszły do lasu na spacer.

– Co to za ślady? – zainteresowała się Gabrysia.

Dziadek nachylił się.

– To tropy* sarny.

– A tutaj?

– Zając. Tu kicał, a tu coś go wyraźnie przestraszyło, bo stanął słupka*…

Gabrysia patrzyła na tropy zająca.

– A to pewnie wilk! – zawołała mama.

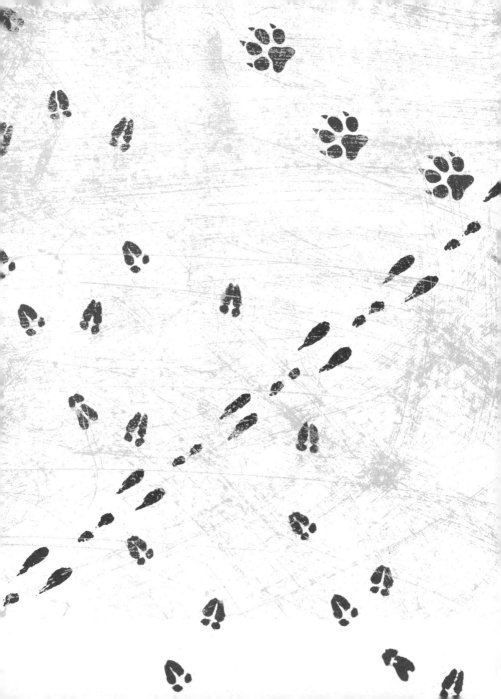

Na ścieżce był wyraźny wielki ślad łapy.

Dziadek wyjaśnił:

– Nie, to pies Piotrowskich. U nas nie ma wilków.

„Jaka szkoda, może wtedy mama by mnie stąd zabrała?" – pomyślała Gabrysia.

– Dziadku, a może to jednak wilk? Zobacz, jakie tu są pazury.

Dziadek jednak tylko się roześmiał.

– To psi ślad. Wilki trzymają się od ludzi z daleka. Nie mają za co nas lubić.

– A ja słyszałam, że pożerają... –
zaczęła Gabrysia, ale nikt już jej nie
słuchał.

Po obiedzie mama odjechała.

– Co ja będę robiła na tym odlu-
dziu? – jęknęła Gabrysia.

Zauważyła, że dziadkowie mrug-
nęli do siebie. Zaczęła ich pytać, o co
chodzi, ale oboje pozostali bardzo ta-
jemniczy.

ROZDZIAŁ 3

Zimą szybko zapada zmrok. Gabrysia nie wiedziała, co ma robić. Podeszła do okna i przysunęła twarz blisko szyby. Czarno. W mieście nigdy nie było aż tak ciemno. A tutaj wcale nie widziała lasu. Nagle ktoś zapukał do drzwi.

Na progu stanął jakiś dziwny pan. Gabrysia wcale nie była tchórzem, ale zrobiła krok do tyłu. Postać była dość przerażająca. Dziewczynka dostrzegła kogoś w wielkim kożuchu*, z ogromną brodą i sumiastymi wąsami*. Na czubku głowy miał czapkę.

– Mam go! – burknął dziwny człowiek.

– To wspaniale, bo nasza wnuczka już przyjechała. Gdzie on jest?

– W worze – odpowiedział.

Rzeczywiście, na ramieniu przybysza wisiał ogromny szary wór. Gabrysia nadal nie rozumiała, co się dzieje. Dziwny człowiek pochylił się i rozwiązał sznurek. Po chwili z worka wytoczył się szaro-brązowo-biały kłębuszek.

Psiak. Szczeniaczek!

– Mówił pan, że ma do sprzedania jamniczka, pudelka i spaniela.

– Mam tylko takiego. Kupujecie czy nie? Dwieście złotych się należy.

– Ale to jakieś wielkie psisko. Ile on będzie jadł? I czy wejdzie do starej budy po Reksie? Sądząc po wielkości łap, to będzie jakiś olbrzym!

Dziadek i babcia stali i wciąż naradzali się, czy brać szczeniaka.

Tymczasem psiak uważnie rozejrzał się po kuchni. Warknął na czajnik. Wyszczerzył się na kaloryfer. Potem zaczął wesoło obwąchiwać wszystkie kąty.

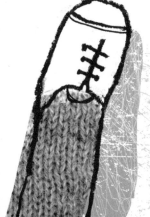
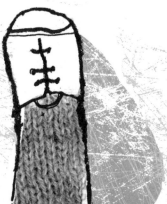

Szczęście Gabrysi nie miało granic. Prawdziwy szczeniak! Zawsze chciała mieć psa. Skąd dziadkowie o tym wiedzieli?

Szczeniak łasił się, a potem zrobił siusiu na środku kuchni.

Babcia jednak wcale się na niego nie gniewała.

– To suczka. Jutro założysz jej starą smycz po Reksie i zaczniesz wyprowadzać – powiedziała do Gabrysi.

Gabrysia długo nie mogła zasnąć. Co chwila wstawała, żeby sprawdzić, czy Szarka jest na swoim miejscu.

Już miała zasnąć, gdy spojrzała w okno. Dwoje żółtych oczu wpatrywało się prosto w nią.

ROZDZIAŁ 4

Rano Szarka zapiszczała. Gabrysia błyskawicznie ubrała się i pobiegła z psiakiem na śnieg. Szarka piszczała, łapała w pysk zrobione przez Gabry-się kule, biegała po całym podwórku.

Babcia z trudem sprowadziła wnuczkę na śniadanie. Zaraz potem dziewczynka znów była na podwórku. Pokazała Szarce oborę*. Psiak zjeżył sierść i zawarczał. Krowy też nie wydawały się zachwycone tym spotkaniem.

Potem Gabrysia wzięła Szarkę na ręce i pokazała jej kurnik*. Kury podniosły taki raban, że Gabrysia czym prędzej opuściła to miejsce.

Dzień minął im bardzo szybko. Wieczorem, gdy zaczął prószyć srebrny śnieg, Gabrysia znów zabrała Szarkę na spacer.

Śnieg był miękki. Gabrysia zrobiła kulę i rzuciła w suczkę, a Szarka zapiszczała i zaczęła łapać śnieg w zęby. Nagle w choinkach między stodołą* a kurnikiem coś drgnęło. Szarka zapiszczała radośnie, pobiegła w stronę furtki i zaczęła drapać pazurami w ogrodzenie.

– Nie wolno już teraz wychodzić. Idziemy do domu spać. Chcesz spędzić noc w lesie?

Gabrysia ledwo odciągnęła Szarkę od furtki. Suczka piszczała i wyrywała się jej z rąk.

ROZDZIAŁ 5

Następnego dnia Gabrysię obudził telefon. To była mama. Co słychać? Nudno? Może coś przysłać?

Gabrysia szybko odpowiadała na wszystkie pytania. Prawdę mówiąc, nie miała czasu na rozmowę z mamą. Nie, wcale nie tęskni i nie chce wracać. Skąd mamie przyszedł w ogóle do głowy taki pomysł?

Nagle Gabrysia usłyszała bardzo dziwny dźwięk. Szarka podniosła łeb i czujnie zastrzygła uszami. Gabrysia też nadstawiła ucha, ale zaraz się roześmiała:

– W brzuchu nam obu burczy. Chodźmy coś zjeść.

W kuchni siedzieli dziadek i babcia, ale nie sami. Oprócz nich było jeszcze kilka osób: pani sąsiadka Sobotkowa, pan Malcerz, co ma świnkę morską, i sołtys Piotrowski. Wszyscy mieli zatroskane miny.

– Coś się stało? – zapytała głośno Gabrysia

– Tylko mi dziecka nie straszcie – szepnęła babcia.

Gabrysia bardzo chciała wiedzieć, co się dzieje. Kiedy wszyscy wyszli, niepostrzeżenie wymknęła się za gośćmi i usłyszała:

– Zobaczcie, aż tu podeszły.

– Cała wataha*.

– A niech to!

Kiedy dorośli odeszli, Gabrysia cichutko się tam zakradła i zobaczyła ślady. Były to całkiem zwyczajne ślady psów. Albo zostawiło je kilka zwierząt, albo jeden pies musiał czuć coś interesującego i dreptał w miejscu. Tuż obok był rozdrapany pazurami dołek.

Gabrysia wzruszyła ramionami. Wielkie rzeczy. Wiadomo, że psy lubią grzebać w ziemi. Może któryś odkopał tu swoją kość?

Otrzepała kolana ze śniegu i zadarła głowę. Zobaczyła parapet okna pokoju, w którym spała.

ROZDZIAŁ 6

– Babciu, mogę wyjść na dwór?

– Możesz, ale baw się tylko na podwórku, dobrze?

– Czemu? – zdziwiła się Gabrysia.

Dziadkowie zawsze przecież chcie-
li, żeby jak najwięcej czasu spędzała
w lesie.

Gabrysi zdawało się, że babcia
zmarszczyła brwi. Czyżby coś ją mar-
twiło? Czegoś się obawiała? Zaraz jednak powiedziała wesoło:

– Bo nie będziesz słyszała, jak cię wołam na obiad. A dziś robię domową pizzę.

Gabrysia uwielbiała pizzę! Gwizdnęła na Szarkę i wyszła.

Śnieg już nie padał. Gabrysia rzuciła psince patyk, ale suczka nie wiedziała, o co chodzi, więc Gabrysia sama po niego poszła. Gdy wróciła, Szarka zawzięcie kopała koło furtki.

– Szarka! Co ty wyprawiasz? Niedobry pies. Przestań, bo pokaleczysz łapy o lód. Co ty tam widzisz?

Gabrysia wpatrywała się w las, ale niczego tam nie było.

Tuż za furtką zobaczyła wydeptane w ziemi ślady; takie jak Szarki, tylko większe. Potem usłyszała, że babcia ją woła. Mimo że Szarka piszczała i wyrywała się, dziewczynka zaniosła suczkę do domu.

Szarka dostała kaszę z mięsem, a Gabrysia wspaniałą pizzę. Żadna pizza nie smakowała jej tak bardzo jak ta upieczona przez babcię.

ROZDZIAŁ 7

Po obiedzie Gabrysi zamknęły się oczy. Spała do chwili, gdy poczuła na policzku szorstki ozór Szarki. Otworzyła oczy i zobaczyła, że Szarka zniszczyła drzwi. Zdarła pazurami całą farbę. Oj, żeby tylko dziadkowie tego nie zobaczyli. Kiedy pies Marcina, kolegi z klasy, zrobił siusiu na dywan, rodzice oddali go z powrotem do schroniska. Tacy właśnie byli dorośli. Gabrysia zastanawiała się, co zrobić, żeby nikt nie odkrył zniszczonych drzwi. Szybko!

Nie zdążyła. Do pokoju weszła babcia.

– Co tu się stało? – Babcia przyjrzała się drzwiom, a potem pogłaskała Szarkę po łbie. – Gabuniu, ona ma bardzo grube futro i męczy się w domu. Musi zostać na noc…

– O, nie! – jęknęła Gabrysia.

Miała zamiar spać z Szarką w swoim łóżku, a nie pozwalać, by psina nocowała zimą na mrozie.

– Nie martw się. Buda jest ciepła i szczelna, zresztą dołożymy jej dwa koce. Zobacz, ona nie chce tu być. Gorąco jej.

Rzeczywiście. Szarka z wywieszonym na bok językiem oparła się łapami o parapet i żałośnie popiskiwała.

Gabrysia była załamana. Rozumiała, że pies męczy się w przegrzanym domu. Z drugiej strony, chciała mieć suczkę przy sobie. Smutno jej się zrobiło, ale co począć...

– Zobacz, Gabuniu, jaka to dobra buda.

Rzeczywiście. Nie jakieś tam zbite byle jak deski, ale prawdziwa, bardzo elegancka buda z wąskim wejściem

i przedpokojem. Żaden pies w takiej budzie nie zmarznie.

Gabrysia mocno przytuliła Szarkę.

– Zobaczymy się jutro – powiedziała i oglądając się co krok za siebie, poszła do domu.

ROZDZIAŁ 8

Rano obudziły Gabrysię jakieś podejrzane hałasy. Ubrała się błyskawicznie i wybiegła na podwórko.

– Gabuniu, najpierw śniadanie!

Ale Gabrysia ani myślała słuchać dziadka. Poszła prosto do budy.

Całe podwórko było zadeptane – wszędzie pozostały ślady psich łap. Szarki nie było w budzie. Smycz smętnie leżała na śniegu, a na jej końcu widniała pusta obroża.

– Co się stało?

– Odgryzły smycz. – Dziadek położył jej rękę na ramieniu.

– Kto?! – ze łzami w oczach krzyknęła Gabrysia, bo nic nie rozumiała.

I wtedy dziadek powiedział:

– Wilki.

– Wilki? Jakie znów wilki? Przecież tu nie ma wilków. Sam mówiłeś!

– Mówiłem, bo tak było. Ale teraz coś jest nie tak. Ciągnie je do naszej wsi. Nie wiadomo, dlaczego od kilku dni po okolicy grasuje cała wataha. Wyszły z lasu i noc w noc podchodzą pod okna.

– Wilki porwały moją sunię? Dziadku, musimy ją ratować!

– Nic nie da się zrobić – powiedział dziadek. – Ona już do nas nie wróci.

– Jak to nie wróci? Dlaczego?! Ja będę ją wołać. Będę jej szukała po całym lesie, aż ją znajdę. Na pewno do nas wróci, tylko musimy szybko iść!

Gabrysia chciała odzyskać swoją Szarkę! Żałowała, że posłuchała babci. Gdyby Szarka została z nią... Niechby wszystko podrapała, ale by była! A teraz jej nie ma.

Gabrysia rozpłakała się.

ROZDZIAŁ 9

Następnego dnia Gabrysia wstała rano z zapuchniętymi oczami.

– Co będziesz dziś robiła? – zapytała babcia.

– Nic.

– Chcesz się napić kakao?

Jak mogła pić kakao, skoro jej Szarka już nigdy nie wróci! Gabrysia była zrozpaczona.

Po obiedzie usłyszała, jak pan Sobotko mówi:

– Wilki są coraz gorsze... Ciekawe, że nie porwały innych zwierząt.

Wieczorem dziadek i sąsiedzi nawlekali na sznur czerwone chorągiewki. To były fladry*. Wilki boją się takich chorągiewek. Zresztą psy też.

Gabrysia dobrze pamiętała, jak Szarka zdenerwowała się na widok czerwonej szmaty wiszącej na płocie. Podkuliła wtedy ogon i zaczęła piszczeć z przerażenia. A teraz całe gospodarstwo było otoczone fladrami.

ROZDZIAŁ 10

W nocy Gabrysię nagle obudziła myśl: „Jeśli Szarce uda się uciec wataszce wilków, to jak tu wejdzie, skoro całe gospodarstwo obwieszone jest czerwonymi szmatami?".

Dziewczynka szybko się ubrała. Ostrożnie otworzyła drzwi.

Noc była mroźna. Śnieg chrzęścił pod butami. Fladry otaczały całe podwórko. Gabrysia postanowiła zerwać je tylko w kilku miejscach, by

Szarka mogła spokojnie wrócić do gospodarstwa.

W pewnym momencie wydało jej się, że za choinką ktoś stoi, a raczej leży. Jakiś zwierzak.

„To ona! Wróciła!".

– Szarka! – krzyknęła.

Cień drgnął. Gabrysia zrobiła kilka kroków w jego kierunku.

Cień przemknął przed nią.

– Chodź tu, piesku. Chodź, nie bój się. To tylko fladry. Chorągiewki n ci nie zrobią, one tylko udają ogie

Gabrysia znowu spróbowała zr kilka kroków w stronę przysypa

śniegiem lasu. Tym razem cień przemknął po jej lewej stronie.

Gabrysia się nie bała. Na niebie
była cała masa gwiazd, jasno świecił
księżyc, który wszystko oświetlał jak
wielka latarka. Ten cień to była jej
Szarka. Tylko dlaczego psina do niej

e przyszła?

iewczynka ruszyła za cieniem.
nie stawiała stopy na śniegu
wołała Szarkę, gdy nagle…
ystanął i odwrócił się. Stanął
Gabrysia z bardzo bliska zo-
e nie idzie za Szarką, tylko
.

Zając chwilę postał nieruchomo, a potem dał susa i zniknął między drzewami.

Za plecami Gabrysi coś zahukało.

„To tylko sowa. Nie ma się czego bać" – przekonywała samą siebie.

Postanowiła wrócić do domu, ale wszędzie było tak samo – czarno, zimno, las dziwne pohukiwał. Każdy by się przestraszył. Gabrysia krzyknęła i rzuciła się biegiem przed siebie. W końcu, gdy już nie mogła złapać tchu, oparła się plecami o drzewo. Nie miała pojęcia, jak wrócić do domu dziadków.

Nagle księżyc schował się za chmurami, zerwał się ostry wiatr i w lesie zaczęła się śnieżyca.

„Niedobrze. Teraz zamarznę tu na śmierć" – pomyślała Gabrysia.

Ukucnęła pod drzewem, schowała twarz w dłoniach i rozpłakała się z bezsilności i złości na cały świat. Po co wyszła z domu? Szarki już dawno nie ma, a mama bardzo się zmartwi, gdy znajdą ją zamarzniętą jak wielki sopel.

– Nie zasypiaj, nie wolno na mrozie zasypiać, bo zamarzniesz – powiedziała do siebie.

Oczy same jej się zamknęły.

ROZDZIAŁ 11

– Szarka?

Gabrysia nie mogła uwierzyć. Szarka położyła się na grzbiecie i z radości cicho popiskiwała.

– Co ty tu robisz? Jak mnie znalazłaś? Co to? – Dziewczynka drgnęła.

Nagle zza drzewa wyszedł wielki, przeogromny wilk. Gabrysia nigdy w życiu nie spotkała wilka, ale nie miała żadnych wątpliwości, że to nie jest pies. Zwierzak stanął kilka kroków od niej i wyszczerzył zęby. Las odbił echem jego złowrogie charczenie.

Wielki wilk przez chwilę im się przyglądał, a potem schował kły. Usiadł, wyciągnął szyję i zawył do księżyca tak głośno, że z niektórych gałęzi spadły czapy śniegu.

Nagle cały las ożył. Cienie drgnęły i spomiędzy drzew wyszły następne wilki. Były trzy, każdy inny. Dopiero po chwili Gabrysia zobaczyła, że za nimi siedzi jeszcze kilka młodych.

„Czyli nie zamarznę, tylko pożrą mnie wilki" – pomyślała i najmocniej, jak umiała, przytuliła Szarkę do siebie.

– Nie dam cię pożreć. Najwyżej zginiemy razem.

Wtedy Szarka wyrwała jej się z rąk. Zapadając się w śnieg, podbiegła do wielkiego wilka. Gabrysi z przerażenia zamarło serce. Wielki wilk pochylił łeb i szturchnął Szarkę w pysk, a potem czule polizał szczenię.

„Ona jest wilkiem!"– pomyślała Gabrysia.

W jednej chwili wszystko stało się jasne. Szarka jest wilczkiem, a to jest jej rodzina. To dlatego wilki wychodziły z lasu i podchodziły pod sam dom. Szukały Szarki.

Przecież gdyby Gabrysię porwał jakiś okropny dziad, wsadził do wora i komuś sprzedał, mama, tata, babcia, dziadek i cała rodzina też by jej szukali. Przypomniało jej się, co ludzie wygadywali o wilkach. Śmiać jej się zachciało, jak mało ludzie o nich wiedzą.

Wielki wilk wstał i zniknął w lesie. Po chwili wrócił z jakimś okropnym strzępem mięsa. Gabrysia spojrzała z obrzydzeniem i nawet trochę się przestraszyła, ale zaraz potem zrozumiała: „One mnie karmią!".

– Nie, dziękuję – powiedziała. – Nie gniewajcie się, ale to dobre dla was. Wy pewnie też byście nie chciały jeść pizzy albo czekolady.

Szarka złapała Gabrysię za nogawkę spodni i pociągnęła. Gabrysia zrozumiała, że ma iść za nią.

ROZDZIAŁ 12

Wilki swobodnie poruszały się po lesie. Gabrysia szybko się zasapała, pokonując wielkie zaspy śniegu. A wilki szły spokojnie.

Śnieżyca ustała. W lesie zrobiło się cicho i puchato. Ponad drzewami przeleciała sowa. Złamała się jakaś gałąź, ale Gabrysia niczego się nie bała. Czuła się bezpieczna.

W pewnym momencie już wiedziała, gdzie jest. To była droga do

Wielkiej Wsi. W dali zobaczyła dom dziadków. Dach, dym z komina, płot otoczony czerwonymi fladrami. Wilki rzeczywiście się ich bały. Nie chciały podejść, ale też nie było takiej potrzeby. Wielki wilk zniknął pierwszy. Nie zawył ani nie pożegnał się z Gabrysią. Po prostu zniknął wśród drzew. Odwrócił się i już go nie było.

Szarka przewróciła się na grzbiet jak zwykły szczeniak i Gabrysia głaskała ją ze łzami w oczach.

– Żegnaj, Szarko, i nie daj się nigdy nikomu złapać. Żyj sobie na wolności. Może się jeszcze kiedyś spotkamy.

ROZDZIAŁ 13

Gabrysia bardzo ostrożnie otworzyła drzwi. Nie musiała dziadkom tłumaczyć, gdzie była w nocy, bo oboje jeszcze smacznie spali. Zrzuciła z siebie ubranie i wskoczyła do łóżka.

Wstała w znakomitym humorze. Bardzo głodna pobiegła do kuchni.

– O, widzę, że nie jesteś już smutna – powiedziła babcia.

Dziadkowie porozumieli się wzrokiem.

Do końca ferii zostały tylko cztery dni. Nikt więcej nie widział we wsi śladów wilków. Dziadek zdjął fladry, bo nie były już potrzebne. Na dzień przed wyjazdem Gabrysi przyszedł do nich pan leśniczy i powiedział, że pan Maciejko został aresztowany za handel dzikimi zwierzętami. Gabrysia pomyślała, że dobrze mu tak. Z drugiej strony... Przecież gdyby nie ten zły człowiek, być może nigdy nie poznałaby swojej Szarki.

Kiedy mama po nią przyjechała, poszli razem na spacer do lasu. Nie spotkali jednak wilka.

Dopiero gdy dziadek wkładał do bagażnika ostatnią walizkę, Gabrysia usłyszała przeciągłe wycie. Było to słabe, trochę nieporadne wycie młodego wilczka.

– Do widzenia, Szarko – powiedziała Gabrysia i po raz ostatni popatrzyła w stronę lasu.

ROZDZIAŁ 14

Kiedy Gabrysia wróciła do szkoły, pani zapytała dzieci o ich przygody podczas ferii.

Koleżanki opowiadały o locie samolotem, o tym, jakiego niesamowitego koloru był basen i jaka była przy nim gigantyczna zjeżdżalnia. Kasia mówiła, jakie dobre lody są we Włoszech, a Ania, jaka fajna kolejka linowa jest w Zakopanem.

Gabrysia o swoich feriach u dziadków nie powiedziała nikomu ani słowa. Zresztą kto by jej uwierzył?

ALFABETYCZNY SŁOWNICZEK TRUDNIEJSZYCH WYRAZÓW

fladry – tutaj: czerwone chorągiewki zawieszone na sznurze, mające odstraszyć wilki

kożuch – zimowe palto ze skóry owczej

kurnik – pomieszczenie gospodarskie dla kur

obora – budynek dla bydła, głównie dla krów

stanąć słupka – o zwierzęciu czworonożnym: stanąć na tylnych łapach

stodoła – duży budynek gospodarski do przechowywania zbóż, słomy i siana

sumiaste wąsy – długie i gęste wąsy

tropy – ślady zwierząt na śniegu lub ziemi

wataha – stado wilków

Duża czcionka
ułatwia czytanie.

Numeracja stron pozwala
śledzić postępy w czytaniu
i cieszyć się nimi, jednocześnie
utrwalając liczenie.

Potem Gabrysia wzięła Szarkę na
ręce i pokazała jej kurnik*. Kury podniosły taki raban, że Gabrysia czym
prędzej opuściła to miejsce.

Dzień minął im bardzo szybko.
Wieczorem, gdy zaczął prószyć srebrny śnieg, Gabrysia znów zabrała Szarkę na spacer.

Śnieg był miękki. Gabrysia zrobiła
kulę i rzuciła w suczkę, a Szarka zapiszczała i zaczęła łapać śnieg w zęby. Nagle
w choinkach między stodołą* a kurnikiem coś drgnęło. Szarka zapiszczała
radośnie, pobiegła w stronę furtki i zaczęła drapać pazurami w ogrodzenie.

Czarno-białe ilustracje
i **przewaga** ilościowa **tekstu
nad ilustracjami** daje
poczucie obcowania
z poważną książką
dla dorosłego czytelnika.

Słowa zaznaczone
gwiazdką są wyjaśnione
w **alfabetycznym
słowniczku** na końcu
książki.